DIE TAT · EIN FALL FÜR HERRN SCHMIDT

WOLFDIETRICH SCHNURRE

DIE TAT

EIN FALL FÜR HERRN SCHMIDT

ZWEI KURZGESCHICHTEN

GEKÜRZT UND VEREINFACHT
FÜR SCHULE UND SELBSTSTUDIUM

Diese Ausgabe, deren Wortschatz nur die gebräuchlichsten deutschen Wörter umfaßt, wurde gekürzt und vereinfacht und ist damit den Ansprüchen des Deutschlernenden auf einer frühen Stufe angepaßt.

Oehler: Grundwortschatz Deutsch (Ernst Klett Verlag) wurde als Leitfaden benutzt.

HERAUSGEBER
Urte Blanke – Roeser *Dänemark*

Bengt Ahlgren *Norwegen*
Otto Weise *Deutschland*
Ferdinand van Ingen *Holland*
Derek Green *Großbritannien*

Umschlag: Ib Jørgensen
Illustrationen: Oskar Jørgensen

ISBN Dänemark 87-429-7670-7

Gedruckt in Dänemark von
Sangill Bogtryk & offset, Holme Olstrup

WOLFDIETRICH SCHNURRE
geb. 1920

Wolfdietrich Schnurre ist in Frankfurt am Main geboren. Er lebte bei seinem Vater, der Doktor der Naturwissenschaften war und als Bibliothekar arbeitete. Seine Jugend verbrachte er in Berlin. Er besuchte eine sozialistische Volksschule. Nachdem diese von den Nationalsozialisten verboten worden war, ging Wolfdietrich Schnurre auf ein humanistisches Gymnasium. Sein Vater lehrte ihn Tiere und Pflanzen lieben.

Dann brach der Krieg aus. Wolfdietrich Schnurre war »sechseinhalb sinnlose Jahre Soldat«, wie er selbst sagte. Erst nach Kriegsende begann er zu schreiben. Wie so viele andere junge Schriftsteller dieser Zeit schrieb er, um mit den Erlebnissen in und nach dem Kriege fertigzuwerden.

Schnurre schreibt hauptsächlich Novellen und kurze Erzählungen. Ihn interessieren nicht so sehr die Charaktere, sondern Situationen, in die die Menschen unserer Zeit gestellt sind und mit denen sie fertigzuwerden versuchen. Immer wieder vergleicht er Mensch und Tier. Für ihn sind die Tiere oft sehr menschlich und die Menschen sehr tierisch.

ANDERE WERKE DES AUTORS

Die Rohrdommel ruft jeden Tag. Erzählungen (1951); Die Blumen des Herrn Albin. Aus dem Tagebuch eines Sanftmütigen (1955); Protest im Parterre. Fabeln (1957); Eine Rechnung, die nicht aufgeht. Erzählungen (1958); Man sollte dagegen sein. Geschichten (1960); Berlin – eine Stadt wird geteilt (1961); Ein Fall für Herrn Schmidt. Erzählungen. Mit einem autobiographischen Nachwort vom Autor (1962).

DIE TAT

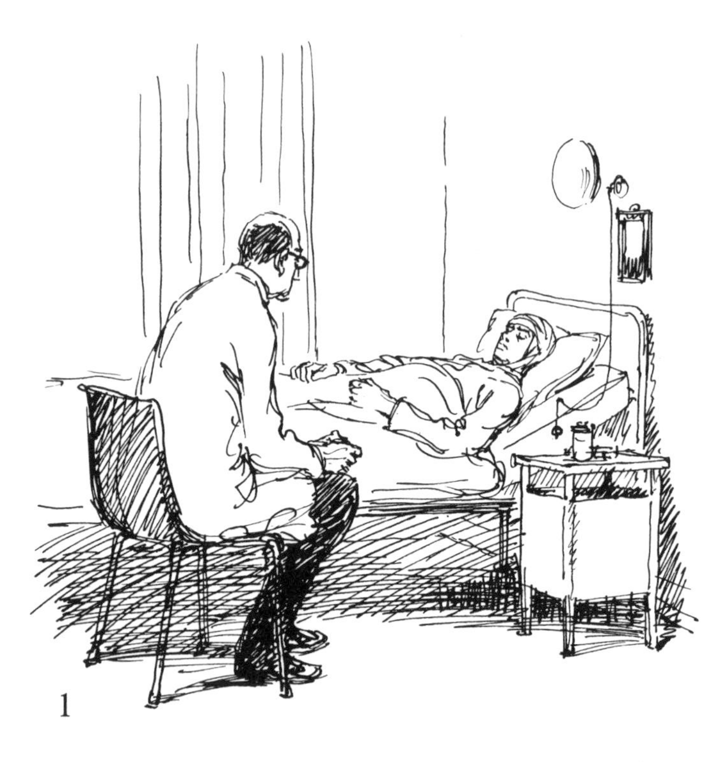

1

Als die Krankenschwester gegangen war, kam noch einmal der Arzt. Der *Verunglückte* schien jetzt ruhiger zu sein, das Morphium hatte gewirkt. Der Arzt wollte ihm noch nicht sagen, daß er sein Bein verlieren würde. Das hatte Zeit; erst einmal sehen, wer dieser Mann überhaupt war. Das Auto war völlig ausgebrannt gewesen, und in der Brieftasche hatte man nur ein Foto gefunden, es war so etwas wie eine *Katze* darauf zu sehen; bißchen wenig, fand der Doktor, um einen

---

der Verunglückte, jemand, der einen Unfall gehabt hat

Schwerverletzten zu *identifizieren.*

Er zog sich einen Stuhl heran und setzte sich ans Bett. Der Verunglückte sah ihn fragend an.

»Hallo«, sagte der Doktor, »da sind wir ja wieder.«

»Was ist passiert?« fragte der andere.

»Sie sind auf freier Strecke gegen eine Brücke gefahren.«

Der Verunglückte schloß die Augen. »Ich sah sie zu spät. Sie saß plötzlich mitten auf der Straße. Man

---

identifizieren, feststellen, wer dieser Mensch ist

sah im Dunkeln nur ihre *Pupillen* aufleuchten. Ich riß das *Steuer* herum –«

»Von wem reden Sie?« unterbrach ihn der Arzt.

»Von der Katze«, sagte der Mann.

»Ach. Eine Katze war der Grund, daß Sie –?«

Der Verunglückte *nickte* schwach. Er hatte noch immer die Augen geschlossen. Er wirkte unruhig.

»Ich hätte sie überfahren sollen«, sagte er plötzlich, »dann hätte ich Ruhe gehabt.«

»Ruhe –?« fragte der Arzt, »wovor?«

»Na, vor ihr!« Der Mann schrie fast.

»Beruhigen Sie sich«, sagte der Arzt, »Sie müssen jetzt ruhig liegen.« Er schwieg, während er den Verunglückten aufmerksam ansah.

»Ist ja komisch«, sagte er dann. Er zog seinen Stuhl noch etwas näher heran; der Fall fing an, ihn zu interessieren.

»Wie lange haben Sie das schon?«

»Was?«

»Na, diesen – Katzenkomplex.«

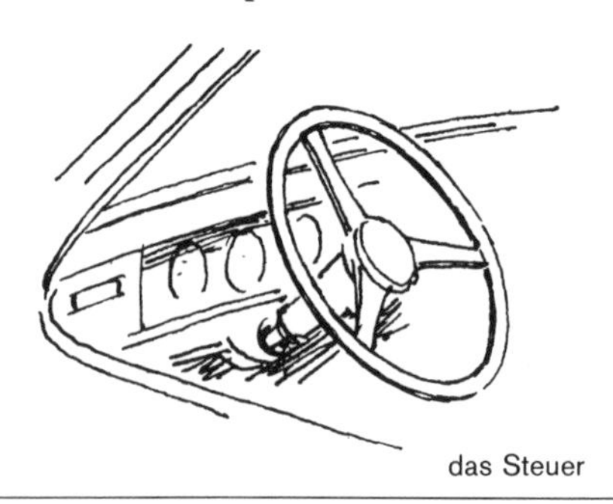

das Steuer

---

die Pupille, der schwarze Kreis im Auge
nicken, ein Zeichen mit dem Kopf, das »Ja« bedeutet

»Seit ein paar Wochen. Seit – seit dieser Mensch da zu mir kam.«

»Was für ein Mensch?«

»So ein *Spätheimkehrer.«*

»Ach. Und Sie meinen, der ist die Ursache für ihren Komplex?«

»Na ja, so ist es nun auch wieder nicht. Ich – ich bin *Anwalt;* er kam, weil er einen Rat haben wollte, was er jetzt anfangen sollte.«

»Er kannte Sie –?«

»Von – von früher, ja.«

»Was nennen Sie früher?«

»Den Krieg«, sagte der andere und sah zur Decke.

»Sie waren Offizier –?«

»Nur beim Kriegs*gericht.«*

»N u r –«

Der Verunglückte wurde plötzlich *gesprächig.*

»Gott, na ja, Sie kennen doch solche Entscheidungen, die da so täglich getroffen wurden.«

»Ja, allerdings«, sagte der Arzt. »Ich hatte einmal den Tod eines *Erschossenen* festzustellen. Er war siebzehn Jahre alt und soll *feige* gewesen sein.«

---

der Spätheimkehrer, ein Mann, der erst lange nach Kriegsende nach Hause kommt

der Anwalt, ein Advokat, ein Jurist

das Gericht, im Gericht wird über Recht und Unrecht entschieden

gesprächig, viel sprechend

der Erschossene, von: erschießen; jemanden mit einer Schußwaffe töten

feige, ängstlich, ohne Mut

»Na ja, manchmal blieb einem aber auch nichts anderes übrig, als hart zu handeln.«

»Nein –?« Der Arzt hatte sich aufgerichtet; er mußte sich Mühe geben, in dem anderen noch den *Patienten* zu sehen. »Wie kommen Sie darauf?«

»Na, durch diesen da, diesen Heimkehrer.«

»Ach, Sie hatten im Kriege einmal – beruflich mit ihm zu tun?«

»Nicht mit ihm selbst, es – es war ein Kamerad von ihm, Unteroffizier Zabel. Seh'n Sie, das war auch so ein Fall.«

»Ich denke, Ihr Besucher kam, um zu fragen, was er machen könnte.«

»Auch, ja; aber das war nicht der wahre Grund, er wollte vor allem mit mir über Zabel sprechen.«

»Und was hat der mit Ihrem – Katzenkomplex zu tun?«

»Merkwürdigerweise sehr viel.«

Jetzt war der Verunglückte wieder Patient.

»Wieso?«

»Ich werd's Ihnen erzählen. Bestimmt hilft es, wenn ich es Ihnen erzähle. Nicht wahr, Doktor, so etwas gibt's doch: daß man sich leichter fühlt, wenn man's jemandem gesagt hat?«

»Weiß ich nicht«, sagte der Arzt, »die *Beichte* ist ja eigentlich die Aufgabe der Kirche und nicht der Medizin, glaub' ich.«

---

der Patient, der Kranke
die Beichte, in der Beichte sagt man das, was man Böses getan oder gedacht hat

»Ist mir egal«, sagte der Verunglückte heftig, »Arzt oder *Pfarrer* – Hauptsache, Sie hören zu.«

Der Doktor sah nach der Uhr. »Also gut. Aber bleiben Sie um Gottes willen ruhig.«

»Ich werde es versuchen«, sagte der Verunglückte.

Fragen

1. Wo befindet sich der Verunglückte?
2. Mit wem spricht er?
3. Wie war das Autounglück passiert?
4. Was waren die Folgen dieses Unglücks?
5. Was hatte man in seiner Brieftasche gefunden?
6. Wer hatte ihn in seinem Büro besucht?
7. Was war der Verunglückte im Kriege gewesen?

2

»Also, ich sitze gerade bei der Arbeit in meinem Büro, da kommt dieser Mensch herein. Ob ich mich noch an den Unteroffizier Zabel erinnerte, fragte er.

Tut mir leid, sage ich. Und ich hatte ihn auch tatsächlich vergessen; schließlich lag das viele Jahre zurück.

Gar keine Erinnerung mehr –? fragt er.

Zabel –, sag' ich, Zabel –, warten Sie mal –

Achtundsechzigste *Division,* sagt er langsam, *Regiment* Sechsundsiebzig, später Straf*bataillon* Zweiviererunddreißig, erste *Kompanie,* dritter *Zug* . . . Na –?

---

die Division, das Regiment, das Bataillon, die Kompanie und *der Zug,* Gruppen von Soldaten

Großartig, sag' ich, wie Sie das alles so im Kopf haben.

Übungssache, sagt er. Wenn man siebzehn Jahre Nummer war, bekommt man einen *Sinn für* Zahlen.

Zabel –, sage ich wieder; lassen Sie mich nachdenken. Achtundsechzigste Division –?

Er nickt. Ihre Division, Herr *Kriegsgerichtsrat.*

Komisch, als er mich mit 'Kriegsgerichtsrat' anredete, da sah ich den Zabel auf einmal wieder vor mir.

Richtig, sag' ich: so ein Langer, Dünner, stimmt's? mit Brille.

Genau.

Und –? frage ich; was ist mit ihm?

Er ist tot, sagt er mit so einem merkwürdigen Ton in der Stimme.

Ruhig, denk' ich, bleib' ruhig! Herr Gott, sag' ich, dieser schmutzige Krieg, was? Was der *auf dem Gewissen hat* –!

Den Zabel, sagt mein Besucher da und sieht mich an, den hat nicht der Krieg auf dem Gewissen ...

Ich fühle, wie ich böse werde; aber in seinem Blick lag auch so etwas, das hätte jeden böse gemacht.

Ob er mal so nett wäre, mir zu erklären, warum er mich dabei so merkwürdig ansehe, fragte ich ihn.

Eigentlich hat der Zabel nie schlecht von Ihnen

Sinn für etwas haben, etwas verstehen
der Kriegsgerichtsrat, Anwalt beim Kriegsgericht
das Gewissen, das Gefühl für Recht und Unrecht
etwas auf dem Gewissen haben, an etwas schuldig sein

gesprochen, sagt er, als hätte er mich gar nicht gehört. Ich weiß nicht, ob Sie die Gewohnheiten in so einer Strafkompanie kennen.

Jetzt hören Sie aber auf, sag' ich. Vielleicht geben Sie mir noch die Schuld, daß der Zabel –

Nicht doch, fällt er mir ins Wort; was heißt denn hier Schuld. Schuldig sind wir alle, da liegt der Unterschied nicht. Was wir aus unserem Schuldgefühl machen, wie wir uns einrichten mit ihm – darauf kommt es an.

Ich, kühl: Ich würde jetzt doch ganz gern einmal wissen, warum Sie mir heute, so lange nach dem Krieg, in so einem merkwürdigen Ton erzählen, dieser Zabel wäre tot.

Er: Ich möchte gern wissen, ob Sie sich noch daran erinnern, warum Sie ihn damals *verurteilt* haben.

Ich, ruhig: Natürlich; er wollte nicht mehr kämpfen.

Er: Sie verstehen mich falsch. Ich meine nicht das Urteil, ich meine die Tat.

Ich: 'Tat'? Tat ist gut. Sie meinen: Seine Schuld. Mitten im Winter ins Wasser gesprungen, und das kurz vor einem großen Kampf – also, wenn Sie das *'ne* Tat nennen wollen –

Und warum er es tat, fragt er, daran erinnern Sie sich auch noch –?

Genau erinnerte ich mich noch daran.

---

verurteilen, ein Urteil sprechen
'ne, 'nem, 'n, eine, einem, ein oder einen

Theater, sag' ich; von A bis Z ein falsches Theater. Darüber waren sich alle einig.

Ich sehe schon, sagt er, wieder mit so *'nem* sonderbaren Ton in der Stimme: Ich muß da ein bißchen was richtigstellen. Sie haben doch *'n* Augenblick Zeit?

Was soll ich da sagen?

Also schön, sag' ich; aber machen Sie schnell, ich hab' schließlich auch noch etwas anderes zu tun.

Keine Angst, sagt er, in einer Viertelstunde bin ich fertig damit.

Dann fing er an.

Fragen

1. Von wem spricht der Besucher?
2. Wie war Unteroffizier Zabel?
3. Warum wird der Anwalt so böse?

3

Sie erinnern sich noch, sagt er: Es war im Winter dreiundvierzig. Unser Bataillon lag in Rußland an irgend einem Fluß, ich glaub', es war der Dnjepr. Es war gerade mal Ruhe, und Zabel und ich gingen ein Stück am Ufer entlang. Auf dem Fluß schwamm Eis. Und plötzlich kommt da auf einer dicken *Scholle* eine Katze, eine große schwarze Katze angefahren. Gleich sammelten die Soldaten Steine, Holz und Schneebälle zusammen. Wo nun das ängstliche Tier vorbeikam, da warfen die Soldaten nach ihm.

---

die Scholle, ein Stück Eis, das auf dem Wasser schwimmt

Zabel sah sie nicht gleich; aber auf einmal blieb er stehen und hielt mich am Arm fest.

Mensch, ist das 'ne Katze?

Ja, sagte ich, 'n ganz hübsches Tier.

Und noch bevor ich verstehe, was er will, zieht er plötzlich seine *Stiefel* aus und läuft wie verrückt runter zum Fluß. Zuerst trug ihn das Eis noch. Doch dann mußte er von der einen frei schwimmenden Scholle auf die andere springen. Ein paar Minuten

der Stiefel

ging sogar das noch gut. Doch dann wurde der Raum zwischen den Schollen immer größer. Einmal sprang er nicht weit genug, das Eis drehte sich in die Höhe, und Zabel fiel ins Wasser.

Offen gesagt, es war keiner unter uns, der ihm

jetzt noch 'ne Chance gab. Auch die paar Soldaten, die jetzt mit ihrem *Gummiboot* über das Eis liefen, konnten eigentlich nur noch hoffen, ihn tot herauszuholen.

Aber da passierte etwas Merkwürdiges. Die Eisscholle mit der Katze stand plötzlich still, und dann trieb sie, als hätte sie einen Motor bekommen, dicht an das feste Eis am Ufer heran. Und jetzt sah man auch Zabel wieder. Er hielt sich an der Scholle fest, nahm die Katze auf den Arm und schwamm noch ein Stück, bis ihn die Soldaten herauszogen.

Was dann passierte, wissen Sie ja noch. Ich: Das kann man wohl sagen.

Dennoch –, sagt er mit so einer scharfen Stimme, daß ich wieder ganz unruhig werde, – ich will es lieber noch mal wiederholen. So etwas vergißt man gerne.

Zabel wurde schwer krank. Als es ihm besser ging, kam er vor das Kriegsgericht, das unter Ihrer Leitung –

– wegen Selbstverletzung, falle ich ihm ins Wort. Er hat sich selbst verletzt, weil er feige war und nicht mehr kämpfen wollte. Darum wurde er zu zwei Jah-

das Gummiboot

ren *Gefängnis* und einem Jahr Strafkompanie verurteilt, ja; und das war noch wenig, es war schließlich Krieg.

Er: Im Krieg ist sogar noch ein Todesurteil wenig, ja, das ist wahr.

Ich: Sparen Sie sich Ihre dummen Bemerkungen. Ich habe noch nie für eine falsche Sache gekämpft; auch nicht im Krieg.

Er, scharf: Ach –. Und warum hat Zabel sich dann nicht *verteidigen* dürfen?

Ich: Das hab' ich Ihnen schon mal gesagt, glaub' ich: Weil das Ganze ja nur ein Theater von ihm war.

Er: Sie meinen wohl, weil S i e ihn nicht verstehen

das Gefängnis

---

verteidigen, die Unschuld eines Menschen beweisen

konnten. Aber warten Sie einen Moment, ich will Ihnen helfen, es zu verstehen.

Zabel kommt also zur Strafkompanie. Die Katze durfte er natürlich nicht mitnehmen; also hatte ich sie an mich genommen, sie fuhr auf meinem Lastauto mit. Ich weiß nicht, warum: Ich haßte das Tier, aber ich konnte es doch nicht weggeben; das hatte wohl beides mit Zabel zu tun. Leicht war's übrigens nicht, sie immer mit durchzubringen. Ich hab' oft Schwierigkeiten mit ihr gehabt. Und dann war es eines Tages passiert:

Der Chef sah die Katze. Er schrie mich an. Ich schrie zurück, und das Ende vom Lied war ein Vierteljahr Strafkompanie. Sie waren damals auf Urlaub, ein Student war an Ihrer Stelle. Das war mein Glück: Er ließ mit sich reden, und so kam es, daß ich in dasselbe Strafbataillon kam, in dem auch Zabel war. Die Katze durfte ich mitnehmen, wohl mehr, um sie *loszuwerden,* als um mir 'ne Freude zu machen. Zabel dagegen freute sich unglaublich über das Tier, und sogar unsere Aufpasser freundeten sich mit ihm an.

Wir lagen kurz vor Rußland. In der Nacht mußten wir arbeiten, und am Tage wurde geschlafen. Und einmal – ich weiß es noch genau: Draußen regnete es. Wir lagen in einem großen Erdloch. Alle schliefen. In der Stille konnte man den Atem der Katze

---

loswerden, von etwas wegkommen, frei werden

hören, die immer zu Zabels Füßen lag – und plötzlich fragte er, ob er mir etwas erzählen dürfte; es wär' nicht lang, aber wichtig für ihn, es hätte mit dieser Katzengeschichte zu tun.

Ich hatte schon lange darauf gewartet, daß das mal käme. Schön, sagte ich, fang an!

Fragen

1. Wo passierte die Geschichte?
2. Wo sah man plötzlich eine Katze?
3. Was taten die Soldaten?
4. Warum war die Rettung der Katze so gefährlich für Zabel?
5. Was geschah plötzlich mit der Scholle, auf der die Katze saß?
6. Welche Folgen hatte diese Tat für Zabel?
7. Wie kam die Katze wieder zu Zabel?

4

Du mußt viele, viele Jahre zurückdenken, fing er an; so ein gutes Vierteljahrhundert vielleicht. Ich war acht Jahre alt damals, und Erwin war elf. Erwin, das war der Junge unseres Nachbarn. Er war groß und stark und wollte immer befehlen. Es gibt Tausende von seiner Art. Wir liefen draußen auf den Feldern herum, fingen *Eidechsen* und *Mäuse* und was uns sonst noch über den Weg lief. Ich glaube, ich haßte Erwin; er war mir zu hart. Er hatte einfach kein Gewissen. Doch ich fühlte mich auch wieder zu ihm hingezogen; denn alles, was er tat, hätte ich alleine nie gewagt. Und das wußte er. Einmal fanden wir einen alten, umgedrehten *Eimer;* er stand mitten auf einem Feld, und die Sonne spiegelte sich in ihm. Erwin fing natürlich gleich an, mit seinem Stock in der Luft herumzuschlagen. Da wären sicher Mäuse drin oder so was, meinte er.

Aber da war Erwin schon über dem Eimer und sah hinein.

Mensch –! rief er plötzlich und ging einen Schritt zurück, da sitzt ein *riesiges* Tier drin!

Und da kam es auch schon heraus: schwarzer Kopf, gelbe Augen und zwei scharfe Zahnreihen – eine Katze. Sie hatte sich auf den *Rand* gestellt und wollte gerade herausspringen.

Los! schrie Erwin, die machen wir fertig! und schlug schon mit dem Stock auf sie ein. Die Katze fiel schreiend in den Eimer zurück. Jetzt war Erwin nicht mehr zurückzuhalten. Sein Gesicht wurde rot. Er nahm den Stock in beide Hände und stieß ihn immer wieder in die Eimeröffnung hinein.

Komm, schrie er, mach mit, sonst läuft sie uns weg! Und da sprang das Feuer auf mich über. Ich nahm auch einen Stock und schlug damit auf die vor Angst und Schmerzen schon halb tote Katze ein.

Zabel schwieg. Von draußen hörte man das Schießen. Die Katze schlief nicht mehr. Ihre Augen leuchteten in der Dunkelheit, und ihr Blick wirkte böse, so als hätte sie zugehört.

Weiter, sagte ich leise.

Zabel holte tief Luft: Es war wie in einem schrecklichen Traum. Immer wieder kam dieses ängstliche Tiergesicht in dem Eimer hoch, immer wieder wollte

---

riesig, sehr groß
der Rand, siehe Zeichnung auf Seite 25

es heraus ans Licht, und immer wieder stießen wir es mit noch größerem Vergnügen nieder. Erwin hatte noch nicht genug; der Eimer war ihm im Wege. Mit dem Stock nahm er ihn auf, und hoch flog er über uns hinweg aufs Feld. Da lag die Katze. Hilflos drehte sie sich im Kreis und konnte doch nicht weg. Wir mußten ihr den Rücken gebrochen haben. Aber glaub nicht, daß wir aufhörten. Nein: Mord, nur Mord! Und dieses furchtbare Vergnügen daran. Wir waren keine Menschen mehr, wir waren böse Tiere.

Hast du den Mut, mich weiter zu hören?

Wir faßten uns bei den *Schultern* und sprangen mit unseren Nagelschuhen auf dem toten Tier herum.

Ich weiß nicht, wie lange ich gebraucht habe, bis ich *begriff,* was wir getan hatten. Dann schrie ich los!

Erwin! schrie ich, Erwin, hör auf!

Doch der hörte nicht. Der sprang immer noch auf der Katze herum.

Da passierte es: Ich stürzte mich auf ihn, wir fie-

---

begriff, von: begreifen; verstehen

len hin, ich faßte ihn am Hals, er schlug um sich, er bekam keine Luft, er verdrehte die Augen; das sollte ihm alles nichts nützen: Meine freie Hand nimmt einen großen Stein auf. Da wirft Erwin sich zur Seite, ich versuche noch, ihn am Bein festzuhalten, er tritt mir ins Gesicht, ich greife noch mal nach – zu spät, er ist frei. Da rennt er über die Wiese.

Zabel warf sich zu mir herum; seine Stimme wurde schwach: Ich ließ ihn laufen. Was ging er mich jetzt noch an? Nichts. Wenn der Tod ihn nicht haben wollte, mußte i c h eben sterben. Womit wäre meine schreckliche Tat denn sonst wieder gutzumachen? Ich konnte ja noch nicht wissen, daß der Tod auch nur *Feigheit* ist, und daß man die Schuld nur durch

sein Leben wieder gutmachen kann. Ich wählte also eine alte Gartenmauer und rannte mit dem Kopf dagegen. Beim zweiten Mal blieb ich *besinnungslos* liegen.

Hörst du noch?

Ja, sagte ich.

Er schien im Dunkeln nach der Katze zu suchen; und gleich darauf sah ich zu seinen Füßen auch wieder ihre Augen aufleuchten, zwei kalte Sterne.

---

die Feigheit, Gegenteil von Mut
besinnungslos, leblos, ohne tot zu sein

Alles, fuhr Zabel dann fort, ging vorüber: die Schmerzen und das Nerven*fieber*. Nur eines ging nicht weg: die Katze.

Seine Stimme wurde leiser: Sie kam jeden Tag, jede Nacht. Wenn ich wach war, saß sie am Bett. Wenn ich schlief, war sie in meinen Träumen. Ich versuchte sie loszuwerden; ich schlug nach ihr. Aber sie blieb; blieb und sah mich an. Ich wurde zehn, wurde zwölf; sie verschwand nicht. Mein ganzes Leben war jetzt nur noch ein einziges Warten. Ich kam aus der Schule, ich ging in mein Zimmer: ich wußte, sie sitzt schon im Schrank, unter dem Bett, auf dem Tisch. Aber das Furchtbarste war, daß sie dann d o c h nie dort saß, wo ich dachte, nicht zu sehen jedenfalls. Und nun wurde es noch schlimmer: Ich begann sie zu suchen, überall. Ich wollte sie finden, nur um diese Angst loszuwerden, diese schreckliche Angst vor ihren Augen. Diese Augen . . . Diese Augen . . . Alles um mich herum wurde zu Nebel, nichts blieb, nur diese kalten Katzenaugen. Ich wurde achtzehn, ich bekam eine Stellung; die Katze kam mit.

Dann kam der Krieg. Und sogar das half nichts. Im Gegenteil: Noch nie war sie mir so oft erschienen wie jetzt; es war plötzlich, als wollte sie mir sagen: hier geschieht dasselbe wie damals, täglich, die ganze Zeit.

Und ganz langsam fing ich an zu verstehen. Ich verstand, daß auch in der Angst eine Forderung liegt,

---

das Fieber, hohe Temperatur im Körper

eine Forderung, etwas zu tun. Etwas, das die Angst vernichtet.

Verstehst du jetzt, warum ich damals diese Katze hier retten m u ß t e? Ich hab' es nicht getan, um jene schreckliche Tat von damals wieder gutzumachen; wie könnte ich das, ein Mord ist nicht ungeschehen zu machen. Ich hab' es getan, um meine Angst loszuwerden, um der toten Katze zu zeigen, daß ich verstanden hatte, warum sie mir dauernd erschien.

Und –? fragte ich; was hat sie danach getan?

Sie ist seit dem Tag nicht wiedergekommen, sagte Zabel.

Es war mein letztes Gespräch mit ihm. Zwei Tage später trat er auf eine *Mine;* er hatte die Katze gesucht. Wir sahen nichts, wir hörten es nur.

Zu finden war nachher bloß noch, was der Luftdruck von ihm übriggelassen hatte. Es war nicht sehr viel. Von der Katze war auch noch 'n bißchen zu sehen, er mußte sie schon auf dem Arm gehabt haben.

---

die Mine, eine eingegrabene Bombe

Fragen

1. Wer war Erwin?
2. Wie alt war Zabel damals?
3. Was fanden die beiden Jungen eines Tages auf dem Feld?
4. Wer begann damit, die Katze zu schlagen?
5. Warum machte Zabel mit?
6. Was tat Zabel, als er verstand, was sie da gemacht hatten?
7. Warum sah Zabel von nun an die Katze überall?
8. Wie wurde Zabel die Angst los?
9. Was geschah schließlich mit Zabel und seiner Katze?
10. Warum hat der Besucher dem Anwalt die Geschichte von Zabel erzählt?

5

Also, Schluß jetzt, sag' ich, nun möchte ich ja doch mal ganz gern wissen, warum Sie mir das alles so genau erzählen.

Mein Besucher lächelt auch noch: Offen gesagt, I h n e n hab' ich's eigentlich gar nicht erzählt.

Na, nun hören Sie aber auf! sag' ich; wem denn?

Ihrem Gewissen, sagt er.

Also, der hatte Glück, daß in dem Augenblick meine *Sekretärin* hereinkam. Eine wichtige Sache. Ich mußte hinausgehen, um mit jemandem zu sprechen. Als ich zurückkam, da war dieser komische Spätheimkehrer, oder was er sonst war, verschwunden.«

Der Verunglückte atmete tief. »Offen gesagt, ich war nicht gerade traurig darüber. Ich stecke mir gerade eine Zigarre ins Gesicht, um wieder ein bißchen zu mir zu kommen, da sehe ich, er hat mir etwas dagelassen; eine Fotografie liegt auf meinem Schreibtisch. Ziemlich alt und schmutzig. Na, ich weiß nicht, Doktor, ob Sie sich denken können, was darauf war.«

Der Arzt nickte. »Nicht schwer zu erraten.«

»Die Katze, ja.« Der Verunglückte gab sich Mühe,

---

die Sekretärin, die Bürodame

zu lächeln; es gelang aber nicht, die Schmerzen waren wiedergekommen, die Wirkung des Morphiums ließ nach. »Übrigens gar nicht mal eine besondere Katze, nein, 'ne ganz gewöhnliche Feld-, Wald- und Wiesenkatze. Es sah aus, als wäre sie darüber böse, daß sie fotografiert werden sollte –«

»Weiß nicht, ob sie nur böse war«, fiel ihm der Arzt ins Wort.

»W a s ?«

»Daß sie so böse das *Maul* aufreißt und ihre gefährlichen *Pfoten* zum Schlagen hebt . . .«

Der Verunglückte hob den dick verbundenen Kopf. »Woher wissen Sie, wie die Katze aussah?«

»Woher wohl.« Der Arzt stand auf. »Von dem Foto natürlich. Es war das einzige, was in Ihrem ausgebrannten Wagen noch übrig war.«

Fragen

1. Was fand der Anwalt auf seinem Schreibtisch?
2. Wie sah die Katze auf dem Foto aus?
3. Warum wußte der Arzt, was auf dem Foto zu sehen war?
4. Warum wollte der Verunglückte diese Geschichte erzählen?

EIN FALL FÜR HERRN SCHMIDT

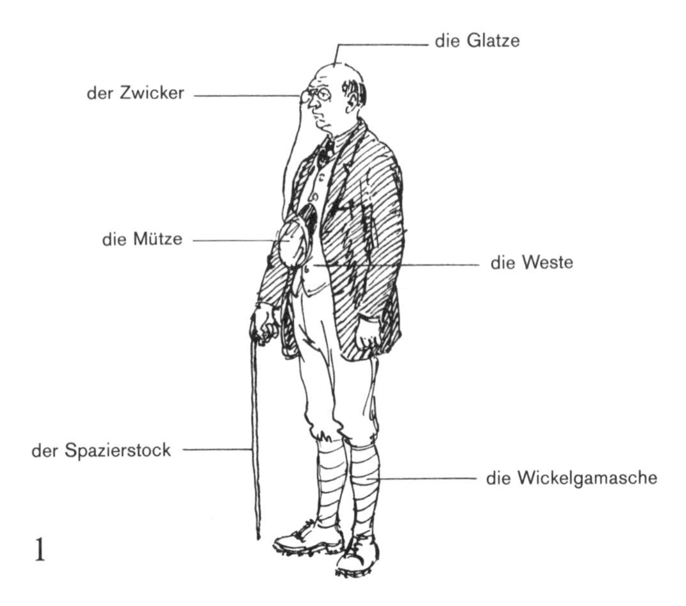

1

Der Polizeibeamte hatte in jenen Tagen gerade in einem der Nachbarorte zu tun, wo schon wieder einige Hühner verschwunden waren. Daher ging Franz Schurek zu einem Detektivbüro in der Stadt und bat um Hilfe; und sie schickten einen Herrn Schmidt.

Dieser Herr Schmidt war ein kleiner, nicht sehr beweglicher Mann mit *Glatze, Wickelgamaschen, Spazierstock* und einem *Zwicker* auf der Nase. An der *Weste* hatte er seine *Mütze* festgemacht.

Sie baten ihn in die Küche, und Frau Schurek setzte ihm ein Glas Milch und einen Teller voll Wurstbroten vor; aber noch ehe er fertig war, fragte Franz Schurek, ob er jetzt satt sei, und Herr Schmidt hörte sofort auf zu essen und sagte, ja, danke.

»Es handelt sich um Bertram«, sagte Franz Schurek.

»Aha«, machte Herr Schmidt.

»Er ist nämlich seit fünf Tagen verschwunden«, sagte Frau Schurek.

»Und das jetzt in der Ernte«, sagte Franz Schurek; »faul ist dieser Junge. Aber so sind die, so sind die alle.«

Herr Schmidt sah, wie Frau Schurek ihren Mann unter dem Tisch anstieß.

»Wir sind nämlich sehr in Sorge um ihn, müssen Sie wissen.«

»Ja«, sagte Herr Schmidt, das wisse er. Bertram sei ein *Flüchtlings*kind –?

»Nanu«, sagte Franz Schurek, »woher wissen Sie denn das?«

»Ich sah seine Schuhe«, sagte Herr Schmidt; »hat er noch ein Paar außer denen da draußen bei der Tür?«

»Wie soll ich denn das wissen?« sagte Franz Schurek.

»Doch«, sagte Frau Schurek schnell, »er hat noch ein Paar.«

»So, so«, sagte Herr Schmidt. »Und wie alt ist er, unser – Bertram?«

»Vierzehn«, sagte Frau Schurek, denn ihr Mann hatte auf einmal keine Lust mehr zu antworten.

»Aha«, machte Herr Schmidt. »Ich bin Ihnen sehr dankbar für Ihre Hilfe. Ich werde Ihnen weiter berichten, wie die Dinge stehen, Frau – äh –«.

»Junge, Junge«, sagte Franz Schurek, »da haben

---

der Flüchtling, ein Mensch auf der Flucht

sie uns aber einen geschickt! *Findste* nicht auch, daß er 'n bißchen zu neugierig ist für seinen Beruf?«

»Du mußt vorsichtiger sein, Franz; der ist nicht so dumm.«

»Komm, werd' nicht komisch. Bin ich vielleicht ein *Verbrecher*?«

»Red' nicht so etwas!« Frau Schurek sah ihren Mann erschrocken an.

»*Haste* gesehen, wie er immerzu den Katzen*napf* angesehen hat?« Sie nahm den Napf auf und betrachtete ihn.

»Was es an dem zu sehen gibt, möchte ich wissen.«

»Warum steht denn der überhaupt noch hier?« sagte Franz Schurek; »das Tier ist doch schon lange weggelaufen.«

»Ja, doch«, sagte Frau Schurek, »ich stelle ihn ja schon weg.«

---

findste, findest du
der Verbrecher, ein Mensch, der etwas Schlimmes, Böses getan hat
haste, hast du

Fragen

1. Was hatte der Polizeibeamte des Dorfes zu tun?
2. Wie war Herr Schmidt gekleidet?
3. Was war Herr Schmidt von Beruf?
4. Wer waren Herr und Frau Schurek?
5. Wer war verschwunden?

2

Herr Schmidt ging inzwischen erst einmal zum Lehrer. Der war jung, und es zeigte sich, daß er Bertram sehr gern, Herrn Schmidt jedoch gar nicht mochte. Herrn Schmidt gefiel das; nichts haßte er mehr als Leute, die zu Kriminalbeamten besonders freundlich waren.

Ob er ihm aber nicht wenigstens sagen könnte, womit Bertram sich in seiner freien Zeit beschäftige.

»In was –?« fragte der Lehrer.

Das war so ziemlich die einzige Antwort, die Herr Schmidt von dem Lehrer bekam.

Er ging danach noch zu dem Pfarrer des Ortes. Der war ein milder älterer Herr, der gerade in seinem Garten die Rosen band.

»Ja, dieses Kind –«, sagte er. »Überhaupt dieses Leben –! Manchmal macht es auch mir keine Freude mehr. Was glauben Sie, wie mir dann diese Blumen hier helfen; es ist wirklich wahr. Immer kurz vor der Sonntags*predigt* gehe ich hier ein wenig hin und her. Sofort fällt alles Graue und Ungute von einem ab, und man ist wieder fähig, Kraft und Stärke für andere zu finden.«

Und von Bertram, fragte Herr Schmidt und putzte

---

die Predigt, die Rede des Pfarrers in der Kirche

seinen Zwicker, könnte ihm der Herr Pfarrer dann wohl nichts Näheres sagen.

»Ja, wissen Sie, dieses Kind –. Leider habe ich es nie in der Kirche gesehen. Aber warten Sie, ich glaube, meine *Haushälterin* kennt die Schureks ganz gut.«

Die Haushälterin war eine kräftige Frau mit glänzendem Gesicht. Sie fand, es sei schade, daß Frau Schurek die Katze hatte weglaufen lassen.

»Was für eine Katze?« fragte Herr Schmidt.

»Na, die Pussi«, sagte die Frau, »die ich ihr damals geschenkt hab'. Aber so ist das immer: man reißt sich so ein Tier vom Herzen und will 'ne Freude damit machen, und der Erfolg? Die lassen so einen *Vierzehnjährigen* mit ihr 'rumlaufen, und weg ist sie.«

Herr Schmidt ging dann noch zu einigen Nachbarn, die alle sehr wenig sagten; dann trank er ein Glas Bier im *Dorfkrug,* und als es dunkel wurde, saß er wieder bei Schureks.

Er mußte erst etwas warten. Das junge Mädchen sagte, Herr und Frau Schurek seien in die Kirche gegangen.

Wo ihre Katze sei, fragte Herr Schmidt.

»Ach die –«, sagte das Mädchen, »die war sowieso nichts wert. Nie 'ne Maus gefangen, immer nur Kar-

---

die Haushälterin, eine Frau, die für andere das Haus in Ordnung hält und kocht
der Vierzehnjährige, ein Junge von vierzehn (14) Jahren
der Dorfkrug, siehe Zeichnung auf Seite 44

toffeln und Milch *gefressen;* da hat der Schurek sie dem Jungen geschenkt.«

Sie mußten aufhören, sich zu unterhalten; Schureks kamen nach Hause.

»Ah –«, sagte Franz Schurek, »da sind Sie wieder.«

»Ja«, sagte Herr Schmidt, »guten Abend.«

»Na«, sagte Frau Schurek und goß Herrn Schmidt ein Glas Milch ein, »schon etwas Neues?«

»Wie man es nimmt«, sagte Herr Schmidt. »Ihre Milch schmeckt übrigens wirklich gut; da kann man Ihre Katze schon verstehen.«

»Wen –?« fragte Franz Schurek.

gefressen, von: fressen; Menschen essen – Tiere fressen

die Scheune

»Er meint unsere Katze, Franz.«

»Ja«, sagte Herr Schmidt und stellte das Glas hin, »wie lange ist sie eigentlich schon weg?«

»Was heißt denn weg?« sagte Franz Schurek, »die läuft irgendwo herum.«

»In der *Scheune* ist sie«, sagte Frau Schurek, »erinnerst du dich nicht, wie sie da vorhin *reinlief*? Sicher wieder ein *Kater* hinter ihr her.«

»Ich denke, sie hatte *Junge*?«

»H a t t e«, sagte Franz Schurek, »ganz recht. Ich habe sie *ertränkt*.«

»Sie meinen, Sie w o l l t e n sie ertränken.«

»Also schön, ich wollte sie ertränken.«

»Und Sie hätten sie auch ertränkt. Aber da kam der Junge dazu.«

---

reinlief, hineinlief, von: hineinlaufen
der Kater, eine männliche Katze
das Junge, ganz junges Tier
ertränken, ins Wasser werfen und auf diese Weise töten

»Na, wollen Sie mir vielleicht sagen, wo ich mit all den Katzen hin soll?«

»Nein«, sagte Herr Schmidt, »gewiß nicht.«

»Also«, sagte Franz Schurek.

Am nächsten Morgen, am Sonntag, besuchte Herr Schmidt den Polizeibeamten, der gerade am Frühstückstisch saß.

Ob er den Hühner*dieb* schon gefaßt hätte?

»Den Hühnerdieb –? Nein, noch nicht. Aber wenn ich ihn kriege, na! Stellen Sie sich vor: in einer Woche vier Hühner! Und alle aus einem anderen *Stall.* Und das Schlimmste: alles noch ganz junge Hühner; 'ne große Gemeinheit, sag' ich Ihnen, 'ne große Gemeinheit.«

»Furchtbar«, sagte Herr Schmidt, »so jung, tz, tz. Und wer könnte es gewesen sein –?«

Das sei sehr schwer festzustellen, sagte der Polizeibeamte. »Muß ein sehr kleiner Mensch gewesen sein. Stellen Sie sich vor: Er ist durch dieselbe Öffnung gekommen, durch die auch die Hühner gehen.«

»Ein *Marder,* nein –?«

»Sie sind aus der Stadt, nicht? Sehen Sie, Herr Schmidt, sonst wüßten Sie, wie's im Hühnerhaus aussieht, wenn 'n Marder darin gewesen ist. Außerdem – schon mal 'n Marder gesehen, der hinter sich wieder zumacht?«

---

der Dieb, jemand, der etwas nimmt, was ihm nicht gehört
der Stall, ein Raum für Tiere

»Sehr ordentlich«, sagte Herr Schmidt mehr zu sich selbst.

Der Beamte sah auf. »Wissen Sie etwa, wer's war?«

»Aber, aber, mein Bester!« Herr Schmidt hob die Hand mit dem Zwicker. »Ist Ihnen denn nicht bekannt, warum ich hier bin?«

»Ach richtig, dieser Flüchtlingsjunge. Weggelaufen, hab' ich recht? Erst sich sattessen beim Bauern, und dann nichts wie weg: so sind die.«

»Man muß sehen«, sagte Herr Schmidt. »Sie können mir wohl nicht weiterhelfen, nein?«

»Ich? *Nee*; nicht, daß ich wüßte. Aber wenn wir vielleicht mal zusammen –«

»Sehr freundlich«, sagte Herr Schmidt schnell, »aber als leidenschaftlicher *Einzelgänger,* der ich nun mal bin –. Sie werden verstehen –.«

Fragen

1. Was konnte der Lehrer über den Jungen sagen?
2. Womit beschäftigte sich der Pfarrer?
3. Wie weit war der Polizeibeamte mit seinen Untersuchungen gekommen?
4. Was erfuhr Herr Schmidt über Schureks Katze?

---

nee, nein
der Einzelgänger, jemand, der gern alles allein macht

3

der Knochen

Danach machte Herr Schmidt einen langen Sonntagsspaziergang durch die Wälder. Das Ergebnis war, er fand vier sauber vergrabene Feuerstellen mit verbrannten Hühner*knochen* darin. Herr Schmidt zeichnete diese Stellen in eine sehr genaue Landkarte ein; dann verband er die Feuerstellen mit einigen Bleistiftlinien und dachte nach.

Er erinnerte sich, als Kind einmal eine kranke Katze in Pflege gehabt zu haben. Da mußte man anfangen. Es dauerte eine Zeit, und die nahen Sonntagsglocken störten auch sehr; aber schließlich hatte Herr Schmidt, wenn er die Augen schloß, fast das gleiche Gefühl, das er auch damals gehabt hatte. Man hatte Angst, wenn er sich recht erinnerte, Angst, jemand könnte kommen und sagen, das nützt nichts, komm, gib sie her! Man lief also weg und versteckte sich mit der Katze.

Nun kam es darauf an, dieses Angstgefühl eines Vierzehnjährigen mit den Gedanken eines Detektivs zusammenzubringen. Das war nicht leicht; immer war das Angstgefühl stärker. Wohin mit vier kleinen Katzen, wenn man damit rechnen muß, gesucht zu werden? Wohin, wenn man es satt hat, immer nur für andere arbeiten zu müssen? Man versteckt sich. Man versteckt sich dort, wo der Wald am dichtesten ist.

Herr Schmidt sah wieder auf seine Landkarte. Es

waren darin mehrere *Schonungen* eingezeichnet. Und dort lagen auch die Feuerstellen mit den Hühnerknochen, die Herr Schmidt gefunden hatte. Nun

die Schonung, der Teil des Waldes, in dem die ganz jungen Bäume wachsen

mußte er also noch die übrigen Schonungen durchsuchen.

Er brauchte nicht sehr lange zu suchen, da sah er in der Ferne ein Stück von einem *Sack*. Herr Schmidt wußte nicht viel über Tiere. Aber er erinnerte sich an ein Buch aus seiner Jugendzeit, in dem die Indianer immer gegen den Wind herankamen. Er machte einen Finger feucht, hob ihn hoch und stellte so die Windrichtung fest. Dann kam er vorsichtig in einem Halbkreis näher heran.

Er sah sie alle. Die Katze saß vor einem Mauseloch, der Junge schlief, und die Kleinen liefen über ihn hinweg. Es war nicht gut, lange hinzusehen. Herr Schmidt setzte sich an einen Baum und sah nachdenklich auf den Waldboden nieder. So saß er lange Zeit.

Fragen

1. Was sah Herr Schmidt auf seinem Spaziergang?
2. Woran konnte Herr Schmidt sich noch erinnern?
3. Wie gelang es Herrn Schmidt, den Jungen zu finden?
4. Was tat Herr Schmidt, als er den Jungen sah?

4

Es war Abend geworden. In einem der Dörfer bellte ein Hund. In allen Dörfern läuteten die Glocken. Der Himmel war von einem zarten Blaugrün. Herr Schmidt blickte hinauf. Dann nahm er den Zwicker ab und putzte ihn am Ärmel. Davon erwachte der Junge.

Er sah sich gar nicht erst um; er nahm schnell die Katze und steckte sie in den Sack. Dann warf er die Kleinen hinein und sprang auf. Er hatte keine Schuhe an, seine Hände waren mit Blut und Hühner*federn* bedeckt, in der rechten Hand hielt er ein Messer.

»Los«, sagte er, »komm *ran.* Komm ran!« sagte er noch einmal etwas lauter. »Sag ruhig, der Alte ist auch da; ich hab' keine Angst.«

»Ich weiß«, sagte Herr Schmidt. Er schob ein paar Zweige zur Seite, und da warf der Junge den Sack auf den Rücken und rannte los.

Rennen konnte Herr Schmidt; das gehörte zu seinem Beruf. In noch nicht fünf Minuten hatte er ihn erreicht. Er faßte ihn am Bein, und der Junge fiel hin.

»Schluß«, schrie Herr Schmidt, »nimm das Messer weg und laß uns ordentlich miteinander reden.«

Der Junge wollte nicht. Er stach mehrmals zu. Ein-

---

die Feder, das »Kleid« der Vögel besteht aus Federn
ran, heran

mal traf er Herrn Schmidt auch am Arm, nicht schlimm, aber es genügte, um Herrn Schmidt einen Augenblick lang *zornig* zu machen. Er schlug dem Jungen das Messer aus der Hand und drehte ihm den Arm auf den Rücken.

Herr Schmidt versuchte, mit ihm zu reden. Es ging nicht, der Junge schlug und trat Herrn Schmidt auf die Füße. Und plötzlich riß er sich los und schlug Herrn Schmidt gegen den Magen. Da blieb ihm nichts anderes übrig, als dem Jungen ein paarmal ins Gesicht zu schlagen. Nun wurde er ruhiger, und man konnte ihn wegführen; den Sack mit den Katzen trug Herr Schmidt.

Er mußte den Jungen mit aller Kraft festhalten, denn er versuchte, sich immer wieder loszureißen.

Es war dunkel, als sie das Dorf erreichten; aus den Fenstern der weißen Bauernhäuser fielen breite Lichtbahnen auf die Dorfstraße. Die Hunde bellten, sie hatten die Schritte von Herrn Schmidts Nagelschuhen gehört. Einige Häuser waren auch dunkel, und auf den Bänken davor saßen die Leute.

Herr Schmidt ging mitten auf der Straße; man konnte die Katze im Sack hören, sie hatte Angst vor den Hunden.

Am Dorf*teich* machten sie halt. »Wasch dir die Hände, sie brauchen nicht zu sehen, daß d u der Hühnerdieb bist.«

---

zornig, böse
der Teich, ein kleiner See

Der Junge schien jetzt ruhiger zu sein. Als Herr Schmidt ihn vorsichtig losließ, rannte er nicht mehr weg. Herr Schmidt sah durch seinen Zwicker hindurch, wie er sich die Hände im Teich zu waschen begann. Er mußte Sand dazu nehmen.

Herr Schmidt beobachtete inzwischen unruhig die Dorfstraße; er hatte Angst, der Lehrer könnte ihn sehen.

Plötzlich warf sich der Junge zur Seite, rannte über die Wiese und die Dorfstraße hinunter.

Herr Schmidt ließ den Sack mit den Katzen fallen und rannte ihm nach. Diesmal hatte er es schwerer, der Junge war schon zu weit voraus. Und jetzt lief er auch noch in einen Hof und stieg über eine Mauer. Herr Schmidt folgte ihm. Sein Atem wurde kürzer. Weil er nur den Jungen im Auge hatte, achtete er nicht auf den Weg und sah auch die *Harke* nicht, die vor ihm lag und trat auf die *Zinken.* Der Harken*stiel* fuhr hoch und traf Herrn Schmidt am Kopf. Er fühlte einen brennenden Schmerz, und zugleich packte ihn eine furchtbare Wut. Er riß sich im Laufen die Mütze vom Kopf und steckte sie in die Tasche. Nun lief er so schnell er konnte, stieg über die Mauer, sprang herunter, bekam den Jungen zu fassen und schlug auf ihn ein. Er wußte nicht mehr, was er tat.

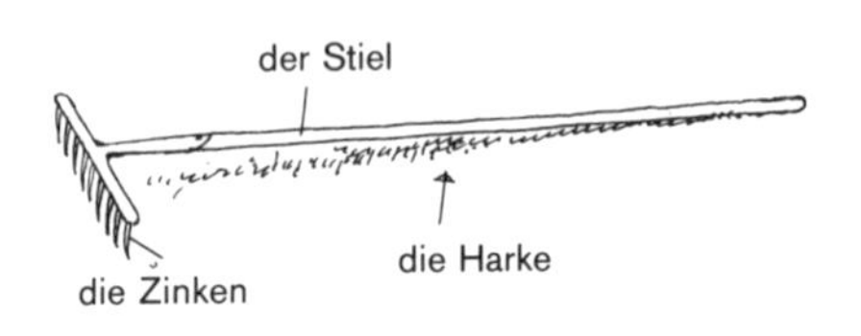

Der Junge gab keinen Ton von sich. Das verdoppelte Herrn Schmidts Wut noch, er schlug ihm ein paarmal hart ins Gesicht. Erst als er etwas Feuchtes an seiner Hand fühlte, ließ er nach; er packte den Jungen und zog ihn über die Mauer und zurück auf die Dorfstraße.

Hier erst merkte er, daß der Junge nicht gehen konnte; er mußte sich beim Sprung von der Mauer den Fuß verletzt haben. Jetzt erinnerte Herr Schmidt sich auch, daß der Junge nichts gesagt hatte, als er ihn so heftig geschlagen hatte; wahrscheinlich waren die Schmerzen in seinem Fuß größer gewesen als die der Schläge.

Fragen

1. Was tat der Junge, nachdem er Herrn Schmidt gesehen hatte?
2. Wie sahen die Hände des Jungen aus?
3. Konnte Herr Schmidt mit dem Jungen reden?
4. Warum sollte der Junge sich die Hände waschen?
5. Warum bekam Herr Schmidt plötzlich solche Wut?
6. Was machte Herr Schmidt mit dem Jungen, als er ihn endlich gefangen hatte?

5

Viele Menschen waren jetzt auf der Dorfstraße versammelt. Sie schwiegen, aber Herr Schmidt hatte ein Gefühl für schweigende *Verachtung;* er starb fast, als er den Jungen an ihnen vorbeizog.

Vom Dorfteich her hörte man die Hunde; als sie näherkamen, erkannte Herr Schmidt eine Menge von

die Verachtung, von: verachten; jemanden für schlecht halten

Hunden, in der Mitte die ängstliche Katze. Das Tier versuchte, die Hunde von dem Sack mit den Jungen wegzuhalten. Sie schlug und biß um sich. Sie mußte jedoch selbst schon gebissen worden sein; Herr Schmidt sah, daß sie ihr Hinterteil nicht mehr bewegen konnte. Doch er konnte ihr jetzt nicht helfen, er hatte genug mit dem Jungen zu tun.

Der Junge hatte die Katze ebenfalls gesehen, er nahm noch einmal all seine Kräfte zusammen. Er trat Herrn Schmidt gegen die Beine, er biß ihn in die Hand, er schrie – doch es half nichts: Herr Schmidt hatte jedes Gefühl in sich sterben lassen. Schmerz und Mitleid waren nur noch eine dunkle Wolke in seinem Kopf; er hielt den Jungen von sich ab.

Und dann war der Hof der Schureks da, und er ging mit dem Jungen, der sich jetzt willenlos ziehen ließ, über die Steine.

Aus der Küche fiel Licht; das Radio spielte, ein Sprecher sagte die Nachrichten an, er sprach sie, als sagte er Verse auf. Schurek hatte noch die Sonntagshosen an; er saß auf einem Küchenstuhl, über dem seine Jacke hing; er las die *Witze* in der Sonntagszeitung. Seine Frau saß auf der Bank; sie stach sich in den Zähnen herum, und als Herr Schmidt mit dem Jungen hereinkam, blieb ihr Mund noch einen Augenblick offen, dann schloß sie ihn und *starrte* Herrn Schmidt an.

»Waren Sie's, der den Jungen so geschlagen hat?

---

der Witz, eine kurze Geschichte, über die man lachen kann
starren, lange auf etwas sehen

Sieh dir das an, Franz«, sagte sie, und die Verachtung in ihrer Stimme war echt, »sieh dir das an, was er aus ihm gemacht hat, der furchtbare Mensch.«

Franz Schurek ließ die Zeitung fallen und stand auf. »Geschlagen hat er dich?« Er kam auf Herrn Schmidt zu und riß ihm den Jungen weg. »Rede, *Bengel*!« schrie er ihn an, »er hat dich geschlagen?«

Der Junge schwieg.

»Schön«, sagte Schurek, »du willst also nicht, schön. Bring ihn rauf, Frau! Und jetzt zu dir«, sagte er und kam gefährlich nahe an Herrn Schmidt heran: »Ein Wort zuviel von dir, und ich sag' der Polizei, du hast den Bengel halb totgeschlagen, klar?«

Herr Schmidt griff in der Hosentasche nach dem *Totschläger*. Er fühlte das kühle Metall.

»Es steht Ihnen frei«, hörte er sich sagen, »in meinem Büro über mich zu berichten.«

Er drehte sich um und ging zur Tür. Er hatte das sichere Gefühl, einen Schlag auf den Kopf zu bekommen. Doch Schurek tat es nicht; er stand vor der Lampe, sein Schatten fiel durchs Fenster und auf den Hof. Herr Schmidt brauchte fünf oder sechs Schritte, bis er über den riesigen Schatten gegangen war; dann trat er aus dem Licht hinaus ins Dunkel.

Vor dem Hof standen Leute; sie schwiegen. Niemand trat zur Seite, als Herr Schmidt durch sie hindurchging. Er lief ein Stück die Dorfstraße entlang,

---

der Bengel, böser Junge
der Totschläger, ein kleiner Stab aus schwerem Metall, mit dem man einen Menschen totschlagen kann

in Richtung zum Bahnhof. Dann blieb er stehen und zog seine Mütze aus der Brusttasche und setzte sie auf. Die Häuser sahen unwirklich aus, als er sich umsah.

Er *lauschte* einen Augenblick, ob er die Hunde am Dorfteich noch hören konnte, aber sie waren still; die Katze hatte ja auch nicht mehr viele Kräfte gehabt.

Danach sah Herr Schmidt nach der Uhr und ging langsam zum Bahnhof. Er hatte noch drei Stunden Zeit, aber er hätte nicht gewußt, wo auf der Welt er sie besser verbringen sollte, als in der kalten *Zelle* des Warteraumes.

Fragen

1. Warum verachteten die Leute Herrn Schmidt?
2. Was passierte mit der Katze?
3. Was machten Herr und Frau Schurek, als Herr Schmidt mit dem Jungen zum Hof kam?
4. Wo blieb Herr Schmidt während der drei Stunden Wartezeit?

---

lauschen, aufmerksam hören
die Zelle, kleiner Raum oder Zimmer im Gefängnis

Fahrkarten